Scholastic

Clifford

Alerte à la mouffette!

Adaptation de Bob Barkly
Illustrations de John Kurtz
Texte français de Christiane Duchesne

D'après les livres de la série « Clifford, le gros chien rouge » de Norman Bridwell.

Adaptation du scénario « The Dog Who Cried "Woof" » par Anne-Marie Perrotta et Tean Schultz

Les éditions Scholastic

Titre original : The Dog Who Cried "Woof!"
ISBN 0-439-97549-2

Édition publiée par Les éditions Scholastic, 175 Hillmount Road, Markham (Ontario) L6C 1Z7.

5 4 3 2 1 Imprimé au Canada 03 04 05 06

— Quelle belle journée! dit Cléo. Idéale pour un jeu de poursuite dans les bois.

— Euh... J'aimerais mieux pas, dit Clifford. Tu n'as pas entendu parler de Fleurette, la mouffette fantôme?

— Il paraît qu'elle hante

la forêt, dit Nonosse.

— Elle mesure dix mètres.

Et elle sent aussi mauvais que

vingt mouffettes ordinaires.

— Ce n’est qu’une légende, dit Cléo. Vous savez bien que Fleurette n’existe pas!

— Bien sûr qu'on le sait, dit Clifford.

— Alors, qu'est-ce qu'on attend? demande Cléo. Clifford, c'est toi qui nous poursuis!

Cléo et Nonosse entrent
en courant dans le parc.
Clifford les poursuit.
Cléo est rapide...

Mais Clifford l'est encore plus.

Il est sur le point de l'attraper.

— Attention! Là, derrière toi!

hurle Cléo.

Clifford freine brusquement,

et Nonosse aussi.

— Qu’y a-t-il? demandent-ils

tous les deux.

— C’est Fleurette,
la mouffette fantôme!
crie Cléo.
Clifford et Nonosse
se retournent, mais
il n’y a personne
derrière eux.

— Je vous ai bien eus, dit Cléo en se tordant de rire.

— Ce n’est pas drôle, dit Nonosse. Tu nous as fait peur.

— Désolée, dit Cléo.

Mais vous savez bien

que Fleurette n'existe pas.

Allons nous baigner.

PLOUF!

Les chiens sautent

dans l'étang.

— Où est Cléo? demande
tout à coup Clifford.
— Elle était là il y a
une minute, dit Nonosse.

Ils entendent Cléo crier.

Sa voix vient du petit bois.

— Au secours! Fleurette

m'a attrapée!

Clifford et Nonosse se lancent

à son secours.

Mais Cléo est toute seule…

et elle rit aux éclats.

— Tu nous as encore joué
un tour! grogne Clifford.
Ce n'est pas gentil.
— C'était pour rire, dit Cléo.

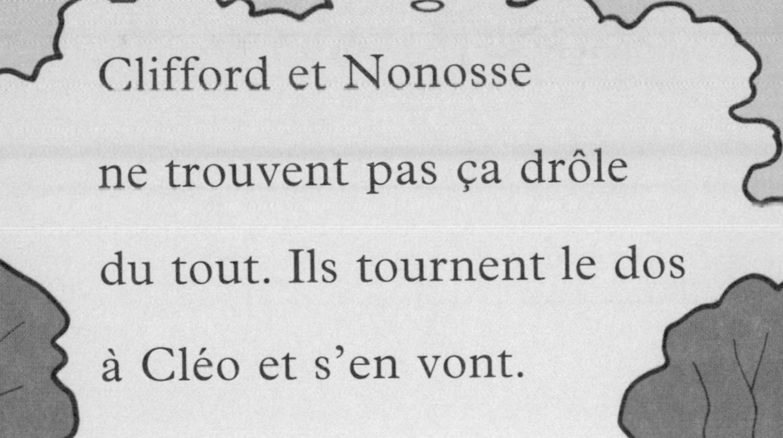

Clifford et Nonosse
ne trouvent pas ça drôle
du tout. Ils tournent le dos
à Cléo et s'en vont.

— Ne vous fâchez pas!

leur lance Cléo.

Je m'excuse.

Cléo tente de rattraper

ses amis.

Mais sa boucle s'accroche

à une branche.

— Au secours!

crie Cléo.

Clifford et Nonosse

ne s'arrêtent pas.

Ils sont sûrs que c'est

un nouveau tour de Cléo.

Ils l'entendent crier encore
une fois.
Cléo semble vraiment effrayée.
Et tout à coup, ça sent
vraiment mauvais.

— Pouah! dit Clifford.

Ce doit être Fleurette.

Elle a dû attraper Cléo.

Clifford et Nonosse

retournent en courant

dans le bois.

Devant Cléo, il y a bien une mouffette.

Mais ce n'est pas un fantôme.

C'est une vraie de vraie mouffette.

Elle s'en va en laissant une très

mauvaise odeur derrière elle.

Nonosse se bouche le nez

pendant que Clifford

libère Cléo.

— Merci! dit Cléo.

Je m’excuse de vous avoir

joué ces vilains tours.

Cléo court à la maison

prendre un bain.

Puis elle va retrouver

ses amis.

— Je ne vous jouerai

plus de tours, c'est promis!

dit-elle. J'ai eu ma leçon!

Tu te souviens?

Encercle la bonne réponse.

1. À quel jeu Cléo veut-elle jouer dans les bois?
   a) à la cachette
   b) au baseball
   c) au jeu de poursuite

2. Clifford et Nonosse ont peur…
   a) d'un oiseau
   b) de Fleurette, la mouffette fantôme
   c) de l'obscurité

Qu'arrive-t-il en premier?
Qu'arrive-t-il ensuite?
Qu'arrive-t-il à la fin?
Écris 1, 2 ou 3 dans l'espace qui suit chaque phrase.

Clifford et Nonosse sautent dans l'étang. ____________

La boucle de Cléo s'accroche à une branche. ____________

Clifford, Cléo et Nonosse arrivent au parc. ____________

Réponses :

1. c
2. b

Clifford et Nonosse sautent dans l'étang. (2)
La boucle de Cléo s'accroche à une branche. (3)
Clifford, Cléo et Nonosse arrivent au parc. (1)